© Reiser et Éditions Albin Michel, S.A.
22, rue Huyghens, 75014 Paris
ISBN 2-226-01367-9

4

12

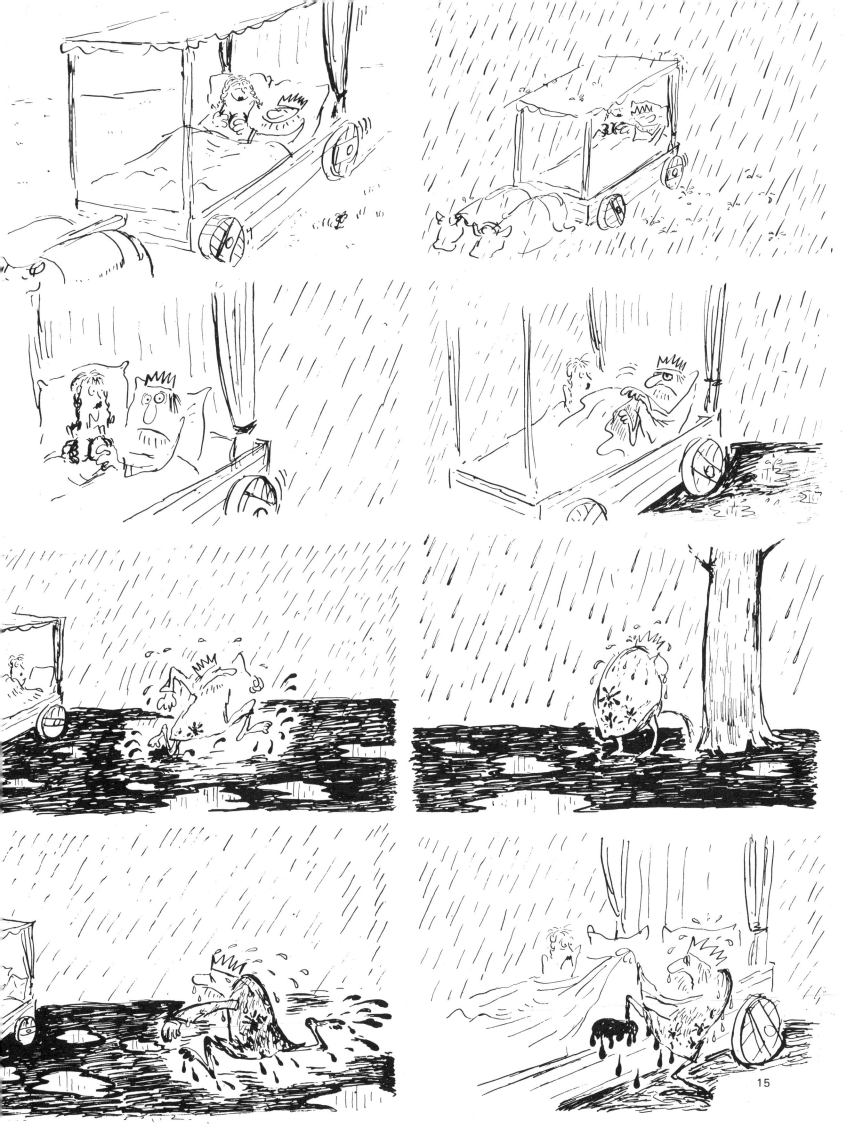

BOMBE D'AMOUR

PHOSPHOR

NAPALM

BILLES

LOOK and Co

LE PLUS BEAU ROMAN D'AMOUR DE TOUTE LA GUERRE DU VIET-NAM VIENT DE COMMENCER!

LA N° R 6014... MADEMOISELLE DAISY HAMILTON ? ON L'A FOUTUE DEHORS ! PAS CONSCIENCIEUSE, TROP JOLIE, TROP COQUETTE!

ÇA L'A PERDUE, MAIS JE PEUX TOUJOURS VOUS DONNER SON ADRESSE, VOUS ÊTES CLIENT APRÈS TOUT...

HELLO!

DAISY HAMILTON

JE SUIS SON PÈRE, QUE LUI VOULEZ-VOUS ?

VOTRE FILLE M'A SAUVÉ LA VIE, ET JE VEUX DEVENIR VOTRE GENDRE, BEAU PAPA !

BON, D'ACCORD, MAIS IL FAUT QUE MA DAISY VEUILLE BIEN

C'EST VRAI QU'ELLE EST COQUETTE ?

OH LÀ LÀ, OUI, QU'ELLE EST COQUETTE! À L'USINE, ELLE N'AR= RÊTAIT PAS DE SE MAQUILLER !...

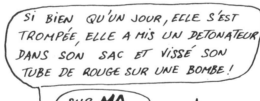

SI BIEN QU'UN JOUR, ELLE S'EST TROMPÉE, ELLE A MIS UN DÉTONATEUR DANS SON SAC ET VISSÉ SON TUBE DE ROUGE SUR UNE BOMBE !

SUR **MA** BOMBE !

C'ÉTAIT DONC CELÀ !...

ENSUITE, QUAND ELLE A VOULU SE FAIRE UN " RACCORD "...

BOUM!

... SI DANS UN FILM, ON VOYAIT LE HÉROS SE DÉ= BINER, FACE À CETTE SITUATION...

TOUTE LA SALLE CRIERAIT : « SALAUD !» ET JE NE VEUX PAS ÊTRE UN SALAUD ...

JE SUIS UN TYPE BIEN ! ET PUIS ELLE COÛTERA MOITIÉ MOINS CHER EN ROUGE À LÈVRES, EN DENTIFRICE, EN DENTISTE...

C'EST DRÔLE, DEPUIS QUE JE SUIS MARIÉ, J'AIME MOINS LA GUERRE ...

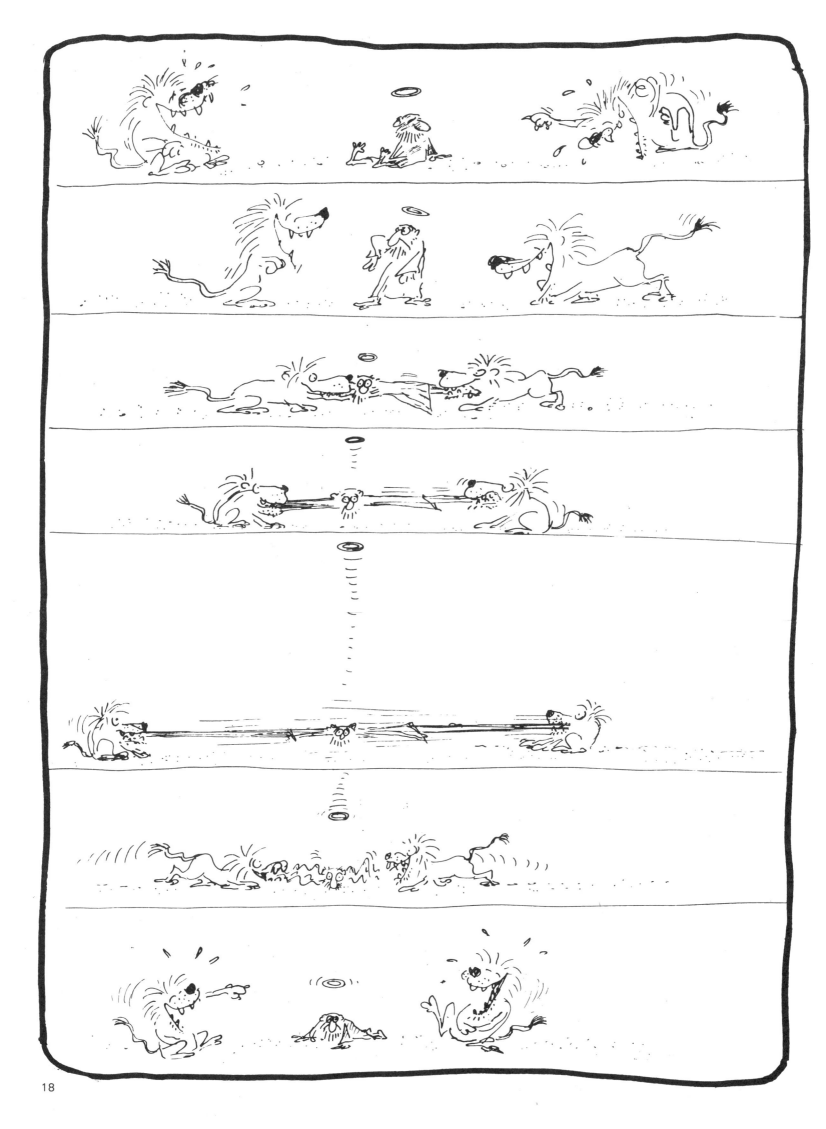

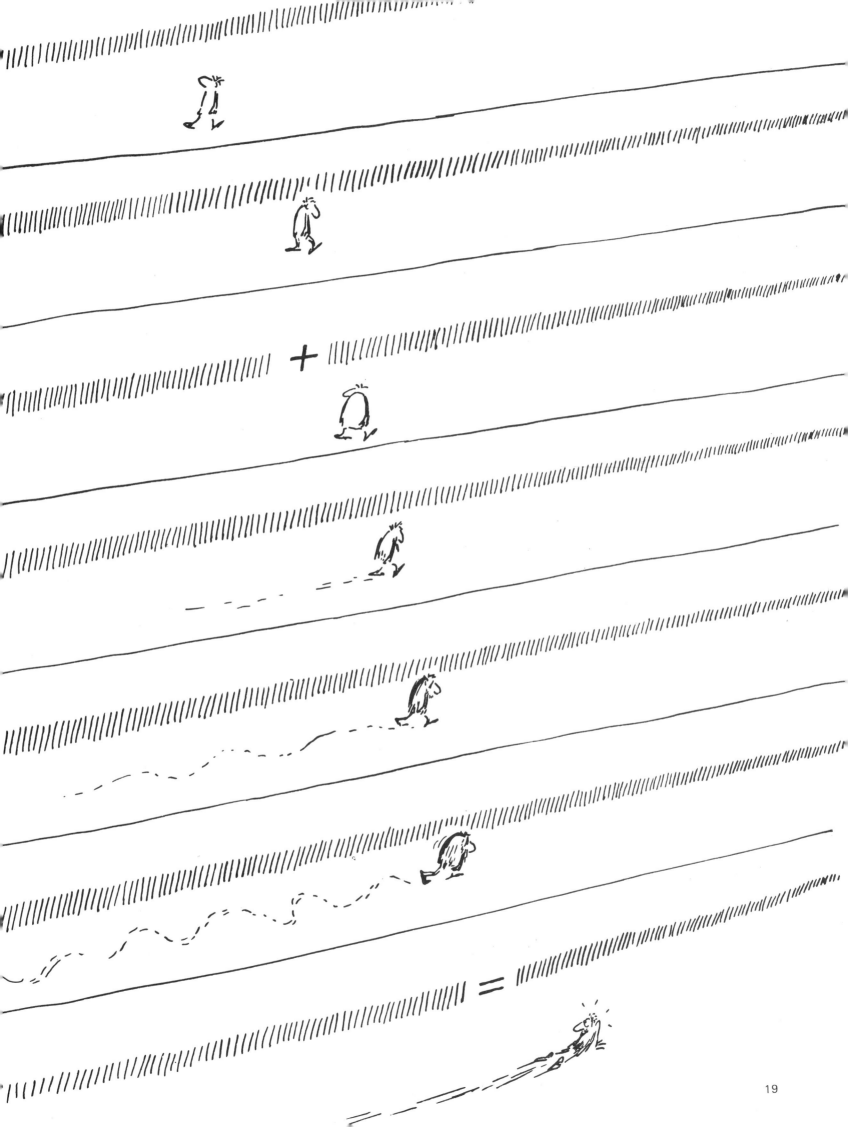

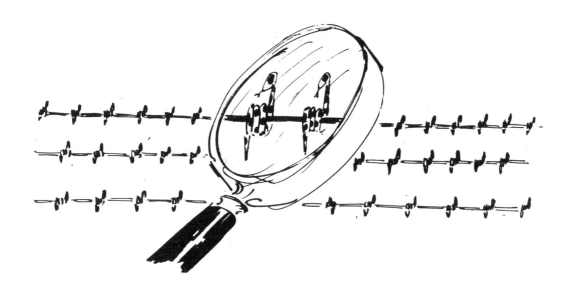

CELUI QUI EMBÉTE LES AVIONS

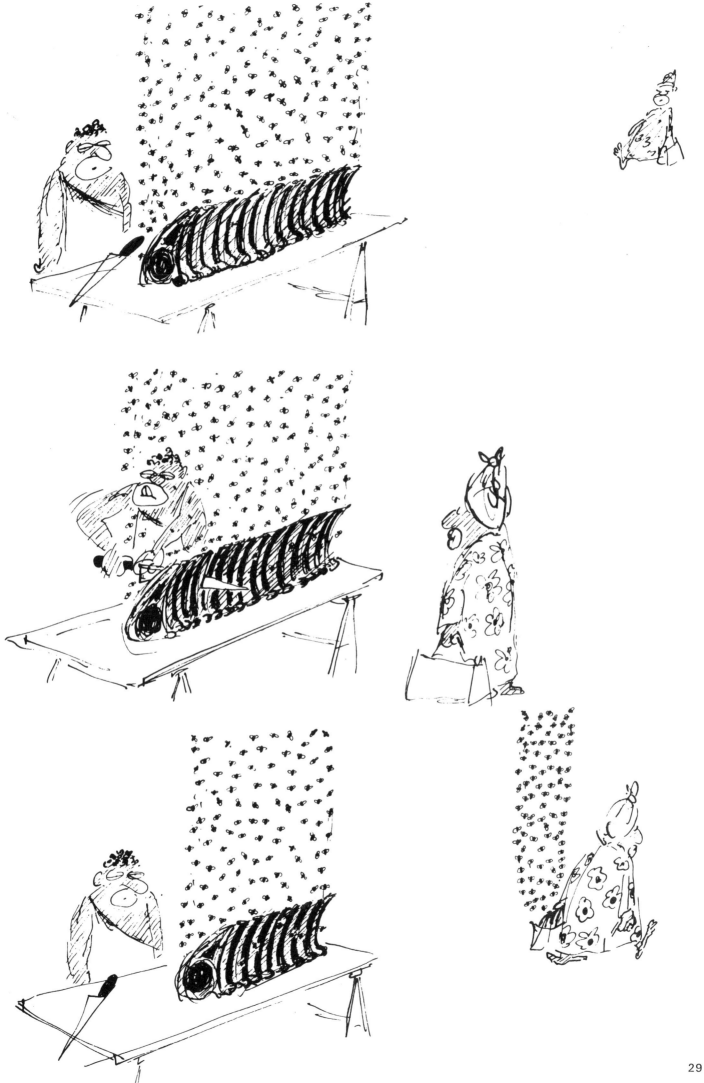

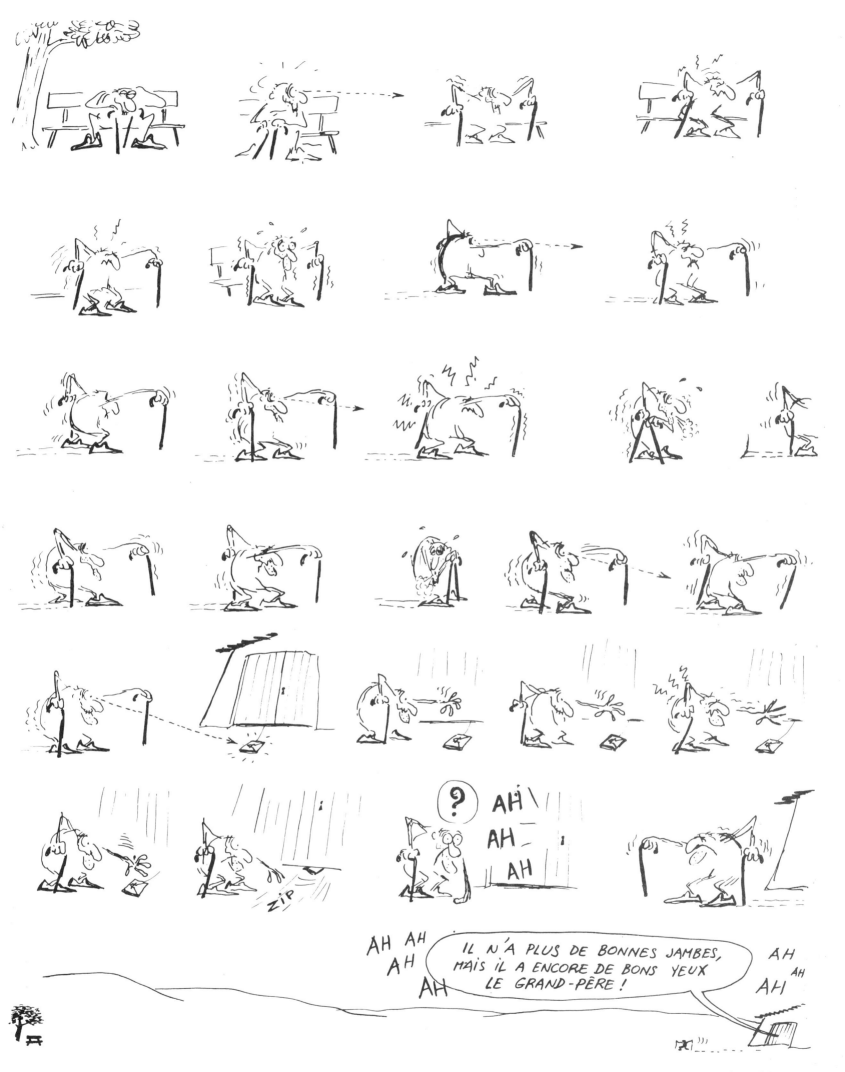

AH AH
AH
AH

IL N'A PLUS DE BONNES JAMBES,
MAIS IL A ENCORE DE BONS YEUX
LE GRAND-PÈRE !

AH
AH
AH

J'AI PAS ENVIE DE FAIRE L'ANDOUILLE, MOI, JE SUIS LE 17e PARALLÈLE...

CHATELET LILAS ←

CHATELET LILAS ←

VOUS N'AVEZ PAS HONTE, DE FAIRE UN METIER PAREIL ?

LA STUPIDITÉ DE VOTRE TRAVAIL NE VOUS SAUTE-T-ELLE PAS AUX YEUX ?

POINÇONNEUR DE TICKETS TOUTE SA VIE, RENDEZ-VOUS COMPTE ?

SOUS TERRE, COMME UN RAT ?... MOI, IL ME SEMBLE QUE JE PREFERERAIS MOURIR TOUT DE SUITE.

SAVEZ-VOUS QUE SI LE METRO ETAIT GRATUIT, LA R.A.T.P AURAIT MOINS DE DEFICIT ?

C'EST LOGIQUE, PUISQU'ELLE N'AURAIT PLUS DE GENS COMME VOUS À PAYER...

... ALORS, NON SEULEMENT VOUS ÊTES INUTILE, MAIS EN PLUS, VOUS CÔUTEZ CHER À LA SOCIÉTÉ !...

BON, ALLEZ, À DEMAIN...

BOUE BOUE

SNIF

CHEF, TOUS LES MATINS, IL Y A UN SALAUD QUI ME FAIT PLEURER...

SI VOUS VOUS OCCUPIEZ UN PEU PLUS DE VOTRE TRAVAIL, VOUS FERIEZ UN PEU MOINS ATTENTION À CE QUI SE PASSE AUTOUR DE VOUS...

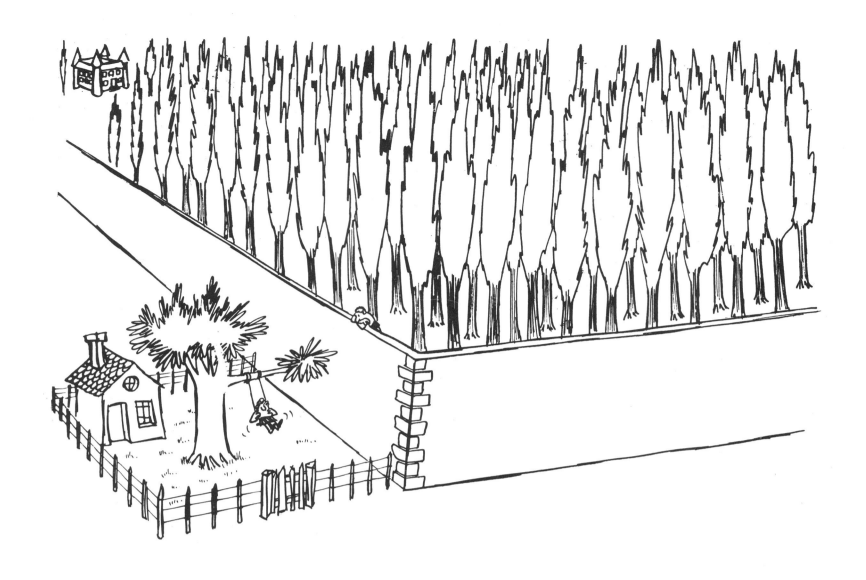

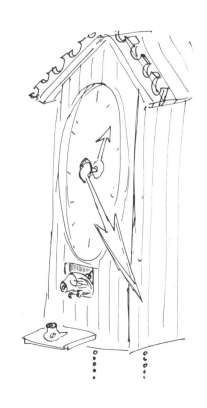

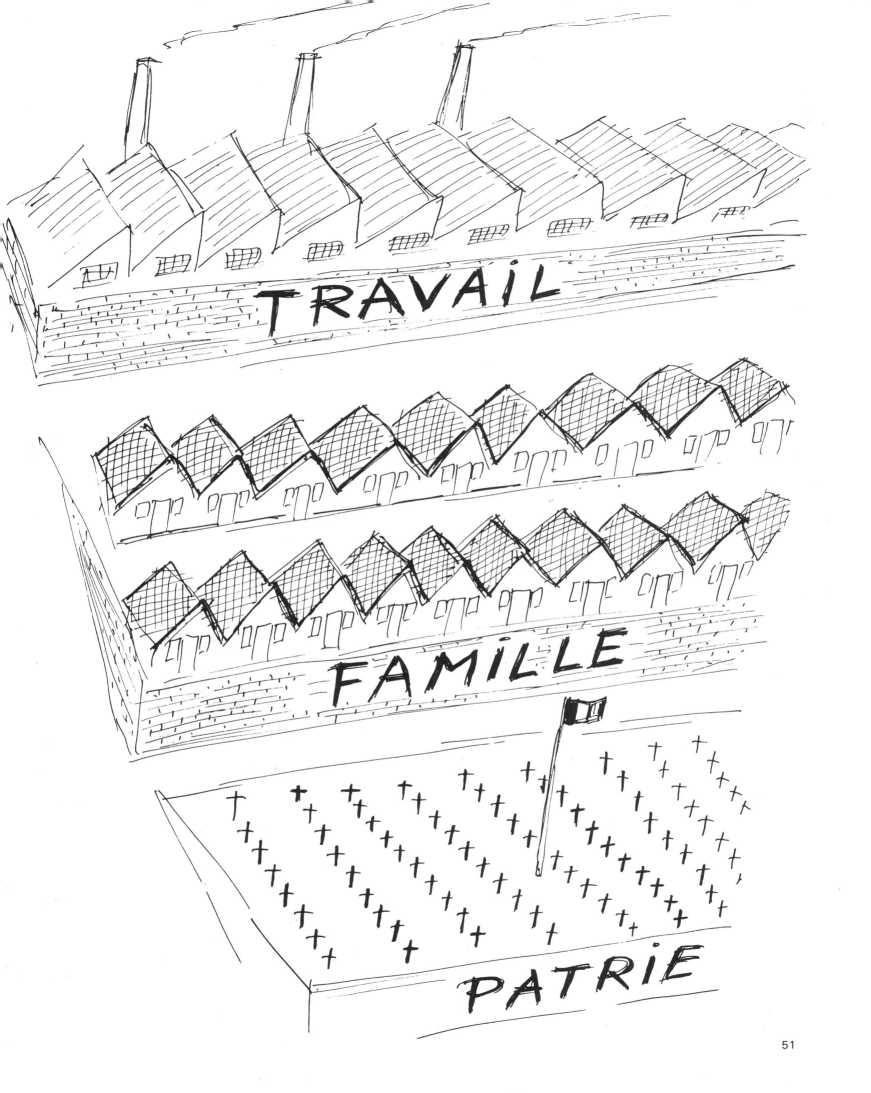

53

VA-Z-Y, DANS LA GUEULE!

DANS LA GUEULE!

DANS LA GUEULE !

TAPE-LUI DANS LA GUEULE !

TU VAS LUI TAPER DANS LA GUEULE, OUI OU MERDE ?!...

DANS LA GUEULE !

DANS LA

OUAOUH.

HAAAAAAA

HÉ!

JE SUIS SA MÈRE!...

HAAAAAAAA C'EST ENCORE MEILLEUR...

Cet album a été achevé d'imprimer
en janvier 1985
sur les presses de Publiphotoffset à Paris
pour les Editions Albin Michel

Numéro d'édition: 8637
Dépot légal: janvier 1985